¿Qué te preocupa?

TEXTO:
Molly Potter

ILUSTRACIONES:
Sarah Jennings

 Picarona

Para mi maravillosa amiga Sallyann,
que alivia el peso de las preocupaciones y es fantástica observando las cosas en perspectiva

Puedes consultar nuestro catálogo en www.picarona.net

¿Qué te preocupa?
Texto: *Molly Potter*
Ilustraciones: *Sarah Jennings*

1.ª edición: septiembre de 2018

Título original: *What's Worrying you?*

Traducción: *Verónica Taranilla*
Maquetación: *Montse Martín*
Corrección: *Sara Moreno*

© 2018, Molly Potter & Sarah Jennings
Edición publicada por acuerdo con Bloomsbury Publishing Plc.
(Reservados todos los derechos)
© 2018, Ediciones Obelisco, S. L.
www.edicionesobelisco.com
(Reservados los derechos para la lengua española)

Edita: Picarona, sello infantil de Ediciones Obelisco, S. L.
Collita, 23-25. Pol. Ind. Molí de la Bastida
08191 Rubí - Barcelona
Tel. 93 309 85 25 - Fax 93 309 85 23
E-mail: picarona@picarona.net

ISBN: 978-84-9145-160-0
Depósito Legal: B-2.506-2018

Printed in China

Querido lector:

Antes de que te adentres en este libro, recuerda que TODOS nos preocupamos por las cosas, incluso los adultos. Podrías decir que las preocupaciones son pensamientos inútiles que dan vueltas y vueltas en tu cabeza y te hacen sentir emociones negativas como la tristeza, el enojo, los celos, la vergüenza y (por supuesto) ¡la preocupación!

A veces estas emociones pueden confundirnos y dejarnos sin saber qué pensar ni qué hacer.

Este libro trata sobre las diferentes cosas que pueden preocupar a los niños.

Se ocupa, una a una, de distintas preocupaciones, mostrando cómo podrían hacerte sentir y lo que podrían llevarte a pensar. ¡E incluye muchas sugerencias sobre qué pensar y qué hacer para sentirte mejor y dejar de preocuparte tanto!

Es bueno saber...

... que preocuparse es perfectamente normal y que ciertas cosas molestan más a unas personas que a otras. La mayor parte del tiempo, las preocupaciones vienen y van. Cuando una preocupación se queda realmente atascada por mucho tiempo o comienza a afectar tu vida es cuando las cosas se ponen serias.
Así que si algo te está preocupando, este libro no puede ayudarte y no lo puedes resolver por ti mismo, necesitas hablarlo con adultos en los que confíes hasta que alguno te ayude a encontrar la solución.

3

Qué hay en este libro...

Cuando te regañan...

Ve a la página 6.

Cuando tienes una profesora nueva...

Ve a la página 8.

Cuando ves algo horrible en la TV...

Ve a la página 10.

Cuando algo es muy difícil...

Ve a la página 12.

Cuando te peleas con un amigo...

Ve a la página 14.

Cuando alguien te molesta...

Ve a la página 16.

Cuando tus padres discuten...

Ve a la página 18.

Cuando tienes miedo de cosas que no son peligrosas, como las arañas o la oscuridad...

Ve a la página 20.

Cuando alguien tiene algo que quieres...

Ve a la página 22.

Cuando sientes que nadie te está escuchando...

Ve a la página 24.

Cuando no tienes amigos con los que jugar...

Ve a la página 26.

Cuando estás enfermo...

Ve a la página 28.

Cuando te regañan...

Cómo podrías sentirte

★ Con ganas de llorar ★ Furioso ★ Culpable

★ Desconcertado ★ Asustado

★ Avergonzado ★ Incomprendido

★ Impresionado ★ Irritado

Lo que podrías estar pensando

No es justo.

No era mi intención.

Pero sólo lo hice porque...

No fui el único.
Otros también lo hicieron.

Cuando te regañen, intenta descubrir lo que necesitas hacer para mejorar las cosas.

Piensa en lo que has hecho. ¿Has dañado algo o a alguien? ¿Qué podrías hacer para arreglarlo?

Necesito comprarte otro lápiz.

¿Necesitas disculparte con alguien? (Probablemente esto os haga sentir mejor a ambos).

Lo siento.

Para recordar

¡Deja de tocar eso! ¡Tengo dolor de cabeza!

¿La persona que te regañó tenía un mal día? (A veces, ése es el motivo por el que los niños son reprendidos. No es justo, pero los adultos no siempre hacen las cosas bien).

A veces ayuda si explicas exactamente qué ocurrió y por qué lo hiciste. (Es mejor hacerlo cuando todo el mundo está calmado).

Tomé un atajo por el jardín porque llegaba tarde.

7

Cuando tienes una profesora nueva...

Cómo podrías sentirte

★ Triste ★ Ansioso ★ Desilusionado
★ Inseguro ★ Preocupado
★ Dubitativo ★ Nervioso
★ Con mariposas en el estómago

Lo que podrías estar pensando

Pero me gustaba mi antigua profesora.

No conozco a la nueva profesora.

¿Y si la nueva profesora es horrible?

Me gusta que las cosas se queden como están.

Cuando tengas nuevos profesores, salúdalos y sonríeles la primera vez que los veas. Puede que ellos también estén nerviosos.

Ahora que estamos en primer curso, ya no nos sentamos en la alfombra.

Cuando algo cambia nos preocupamos porque tenemos miedo de perder las cosas que nos gustan y de encontrarnos con otras nuevas que no nos agraden.

A menudo nos preocupamos más de lo necesario por los cambios. Acostumbrarse a una nueva profesora podría ser solamente cuestión de días.

Ahora me gusta nuestra nueva profesora.

Para recordar

Tener diferentes profesores en cada clase hace que la escuela sea más interesante y nos da la oportunidad de vivir muchas experiencias distintas.

Habrá muchas cosas que hará tu nueva profesora que te gustarán mucho.

Mira, mamá, la profesora nueva me ha puesto una pegatina.

Cuando **ves algo horrible en la TV**...

Cómo podrías sentirte

★ Preocupado ★ Triste ★ Asustado

★ Confundido ★ Estresado

★ Conmocionado ★ Aterrado

Lo que podrías estar pensando

¿Es algo que podría ocurrirme a mí?

¿Esto ocurre muy a menudo?

¿Es real?

¿Por qué ocurre?

Cuando veas algo horrible en la televisión, comienza por apagarla. ¡No tienes la obligación de verlo!

Recuerda que lo que ocurre en la tele no siempre es real.

Cuando veas algo que te conmocione, puede que te asuste y que ronde tu cabeza todo el día. Si eso ocurre, habla con algún adulto en quien confíes.

No puedo dejar de pensar en ese monstruo repugnante.

Para recordar

Recuerda quedarte donde puedas tocar el fondo.

Tus padres, cuidadores y maestros hacen muchas cosas para que estés seguro y lejos de las cosas peligrosas que puedas ver en la televisión.

Los informativos muestran los sucesos más impactantes de todo el mundo. La mayoría de las cosas están pasando muy lejos de tu casa.

Cuando algo es muy difícil

Cómo podrías sentirte

★ Frustrado ★ Confundido

★ Irritado ★ Decepcionado

★ Triste ★ Obsesionado ★ Estresado

Lo que podrías estar pensando

¿Por qué los demás parecen resolverlo tan fácilmente? No es justo.

Debo de ser tonto.

La última vez también me resultó difícil.

Realmente me gustaría que me pareciese fácil.

Aunque algo te resulte complicado, puedes tomar la determinación de hacerlo bien, sea lo que sea.

12

¡Sólo me ha llevado 102 intentos!

Trata de no enfadarte o darte por vencido cuando las cosas no salgan a la primera. A veces es necesario intentarlo muchas veces, y para hacerlo, debes estar tranquilo.

No olvides que todos somos buenos en algo y no tan buenos en otras cosas. Es bueno pensar en todo lo que haces bien y celebrar tus logros.

Para recordar

1 × 5 = 5,
2 × 5 = 10...

TABLAS DE MULTIPLICAR

| 1X | 2X | 3X |
| 4X | 5X | 6X |

Siempre es bueno practicar las cosas para hacerlas mejor. A veces lleva mucho tiempo ser bueno en algo.

Pide ayuda. Siempre hay alguien que puede ayudarte a mejorar.

¡Cómo lo sostengo?

Cuando te peleas con un amigo...

Cómo podrías sentirte

★ Enfadado ★ Incomprendido

★ Triste ★ Decepcionado

★ Desconfiado ★ Solo

★ Confundido ★ Ignorado

Lo que podrías estar pensando

Nunca más seré su amigo.

No han entendido lo que trataba de decir o hacer.

Han sido injustos y crueles.

Lo/la detesto.

Cuando te peleas con un amigo, aléjate un tiempo mientras piensas en qué hacer.

Los amigos se pelean a menudo, pero no te preocupes,
todo se puede arreglar y volveréis a ser amigos.

> Quiero que volvamos a ser amigas.

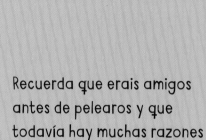

Recuerda que erais amigos
antes de pelearos y que
todavía hay muchas razones
por las cuales os caéis bien.

Para recordar

Comprende que tú y tu amigo
probablemente veis lo que ha ocurrido
de formas completamente diferentes.

> Realmente quería
> venir al parque, pero
> mi mamá me mandó
> ordenar mi
> habitación.

> Pensé que ya
> no te caía bien
> y que por eso
> no viniste.

UN PLAN PARA RECONCILIARSE

1. Pregunta a tu amigo si podéis hablar solos
   en algún momento.

2. Dile claramente que quieres que os reconciliéis.

3. Hablad por turnos y escuchad atentamente.
   Explicad ambos qué os hizo discutir.

4. Descubrid lo que queréis que ocurra
   para sentiros mejor.

5. Discúlpate por las molestias que has causado.

6. Seguid hablando hasta que ambos
   os sintáis felices.

Cuando alguien te molesta...

Cómo podrías sentirte

★ Enfadado ★ Indefenso
★ Asustado ★ Nervioso
★ Solo ★ Temeroso
★ Triste ★ Irritado

Lo que podrías estar pensando

Déjame solo.

Eres horrible.

Es injusto. No he sido desagradable contigo.

Me vengaré.

No puedes jugar, ¡no eres bueno!

Cuando alguien te molesta, trata de no actuar de la misma manera para vengarte.

Narizotas.

Sí, ya sé que es enorme.

Si alguien te molesta, trata de darle la razón y mira qué ocurre. ¡No sabrán qué decir ya que no esperan que estés de acuerdo con ellos!

Recuerda que la gente a veces molesta a los demás porque piensa que le hará sentirse mejor. Esto puede ser porque sean bastante gruñones o estén infelices.

Apuesto a que no tienes amigos.

Para recordar

Él fue realmente malo.

Cuéntales a tus buenos amigos lo que ocurrió y cómo te hizo sentir. Permite que tus amigos te ayuden a alegrarte.

Si alguien te molesta a propósito más de una vez y sientes que no puedes solucionarlo por ti mismo, lo que sufres se llama acoso y es necesario que hables con un adulto en quien confíes para que alguien le ponga fin.

ACOSO

17

Cuando tus padres discuten

Cómo podrías sentirte

* ★ Triste ★ Asustado
* ★ Preocupado ★ Enfadado
* ★ Indefenso ★ Ignorado
* ★ Colérico ★ No amado

Lo que podrías estar pensando

Quiero que paren. No lo soporto.

No quiero que se divorcien.

Quiero estar en otro lugar.

¿Se han olvidado de mí y de cómo me hacen sentir?

Cuando tus padres discuten, diles cómo te hacen sentir.

Discutir puede ser una manera ruidosa de resolver un problema.

Cuando la gente discute se deja llevar por las emociones. Esto puede hacerles decir cosas que no piensan realmente.

Para recordar

Si tus padres comienzan a no ser felices juntos más veces de las que sí lo son, entonces podrían divorciarse. Puede que esto conlleve muchos cambios, pero después de un tiempo las cosas volverán a la normalidad.

Casi todos los padres discuten alguna vez, pero la mayoría de las discusiones terminan bien.

Cuando tienes **miedo de cosas** que no son peligrosas, como las arañas o la oscuridad...

Cómo podrías sentirte

★ Asustado ★ Nervioso ★ Inquieto
★ Atemorizado ★ Indeciso
★ Inseguro ★ Aterrado

Lo que podrías estar pensando

Estoy demasiado asustada para moverme.

Sé que es tonto, pero no puedo evitarlo.

No puedo mirar.

Quiero correr.

Cuando estás asustado por algo, piensa en cosas que te hagan sonreír.

Lo que sea que te esté asustando no podrá dañarte. ¡Simplemente no podrá!

No hay monstruos ahí abajo, no seas tonta.

Puedes ridiculizar lo que te asusta si cantas una canción graciosa o alegre.

Tontos rayos y truenos estrellándose en el cielo, estoy dentro y me mantengo seguro y seco.

Para recordar

Estoy segura. Estoy segura. ¡Estoy segura!

Aunque puedas sentirte asustado, realmente no hay nada de qué preocuparse. Por eso, trata de decirte: «¡Estoy seguro, estoy seguro!», con voces graciosas, hasta que te hagas reír.

Siempre puedes ir a un lugar donde te sientas seguro –podría ser abrazarte a uno de tus padres o acurrucarte en la cama–. Cuando te sientas seguro, piensa acerca de lo que te asustaba. ¿Continúa asustándote ahora?

21

Cuando otro tiene algo que quieres...

Cómo podrías sentirte

★ Envidioso ★ Celoso ★ Enfadado
★ Ansioso ★ Inútil
★ Resentido ★ Irritado

Lo que podrías estar pensando

Realmente quiero lo que ellos tienen.

Desearía estar en su lugar.

No es justo.

No soy lo suficientemente bueno.

¡Guau! ¡Tu abrigo es increíble!

Cuando sientas envidia, recuerda que eres ESTUPENDO. Puede hacerte sentir mejor.

Este mundo sería
muy aburrido
si todo el mundo
fuera igual.

Mi color favorito
es el rojo.

¡El mío
también!

¡Y el
mío!

Me
gusta
ser yo.

No pierdas el tiempo comparándote
con otros. ¡Disfruta de ser tú!

Para recordar

¡Pero
quiero
más pastel

Si siempre tienes lo que quieres, probablemente
no seas una persona agradable, ya que piensas
más en tus necesidades que en las de los demás.

Las cosas no son siempre justas y no podemos cambiarlo.
Lo que podemos hacer es cambiar cómo pensamos y estar
agradecidos por todas las cosas buenas que hay
en nuestras vidas.

Amo a:
Mi mamá, teddy,
mi habitación.
Los sábados
con papá,
mi conejo,
bicileta...

23

Cuando sientes que **nadie te está escuchando**...

Cómo podrías sentirte

* ★ Frustrado ★ Desolado
* ★ Decepcionado ★ Triste
* ★ Insignificante ★ Resentido
* ★ Con ganas de llorar ★ No amado

Lo que podrías estar pensando

Por favor, dejad de ignorarme.

Lo que tengo que decir es muy importante.

Quiero que los adultos me entiendan.

¿Por qué los adultos nunca escuchan a los niños?

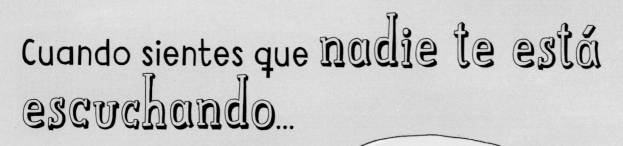

Cuando nadie está escuchándote, sé paciente y espera hasta que alguien esté preparado para hacerlo.

Necesito ayuda, por favor, necesito ayuda, por favor, necesito ayuda.

¡Papá?

Ahora no, ya hablaremos más tarde.

Si necesitas que un adulto escuche algo, díselo hasta que lo haga.

Cuando los adultos no escuchan, normalmente es porque están muy ocupados o estresados. Cuando esto ocurre, inténtalo en otro momento.

Para recordar

Cuando le dices a alguien algo que realmente quieres que escuche, comienza diciendo: «Esto es muy importante para mí aunque pueda no parecértelo».

Si realmente quieres que un adulto sepa algo, puedes intentarlo escribiéndole una nota o pidiendo a alguien que te ayude a escribirla.

Esto es muy importante para mí. Quiero aprender cómo se escribe.

Cuando no tienes amigos con los que jugar...

Cómo podrías sentirte

★ Desdichado ★ Solo

★ No amado ★ Aburrido ★ Herido

★ Raro ★ Insignificante

Lo que podrías estar pensando

¿Por qué nadie juega conmigo?

Quiero gustar a los demás.

Me doy pena.

Necesito que alguien venga y me invite a jugar.

Cuando no tengas amigos para jugar,
no te sientes a compadecerte
ya que eso no solucionará
tu problema.

A veces puedes quedarte fuera porque nadie se da cuenta de que estás solo.

Cuando comenzamos a sentirnos tristes, a menudo podemos dejarnos llevar por pensamientos que nos hacer sentir peor como: «No le gusto a nadie». Recuerda, eso sólo está en tu cabeza y no es real.

No tengo amigos.

Para recordar

¿Quieres jugar al pillapilla?

Probablemente haya otros niños cerca que no tienen con quién jugar. Búscalos e invítalos a jugar.

Juega limpio siempre. A los niños no les gusta jugar con tramposos.

1... 2... 3... 4...

Cuando estás enfermo...

Cómo podrías sentirte

* ★ Triste ★ Incómodo
* ★ Desdichado ★ Cansado
* ★ Harto ★ Irritado

Lo que podrías
estar pensando

No puedo esperar a sentirme mejor.

Me siento fatal.

Me estoy perdiendo muchas cosas.

Es aburrido.

Cuando estés enfermo,
ve a la cama
y descansa mucho.

Trata de dormir.

La mayoría de la gente se enferma alguna vez, pero mejorarse no toma mucho tiempo.

Ya me siento mejor.

No olvides que tu cuerpo sabe cómo pelear contra los microbios y otras enfermedades desagradables.

Para recordar

Beber mucha agua y comer frutas y verduras hará que tengas menos posibilidades de enfermarte.

Cuando estás enfermo, es bueno acurrucarse en el sofá bajo una manta y ver la tele.

Glosario de emociones

Emoción	Descripción	Un ejemplo de cuándo podrías sentirla
Abochornado	Cuando sientes que has hecho algo ridículo y piensas que otra gente puede reírse de ti y pensar que eres tonto.	Si al entrar en una habitación te das cuenta de que se te ve la ropa interior.
Anhelante	Cuando deseas algo y te sientes triste o lamentas no tenerlo.	Si no puedes encontrar un juguete que adoras y parece que se ha perdido.
Ansioso	Cuando estás muy preocupado o sientes pánico (tu corazón late rápido) porque no sabes qué ocurrirá.	Si te han dicho que debes ir a casa de uno de tus amigos a causa de una emergencia y no estás seguro de recordar el camino.
Avergonzado	Cuando te sientes mal por algo que hiciste y ha causado un mal a otro.	Si rompes algo que es de tu mamá, mientes para no hacerte responsable y ella te dice que era algo muy especial, te sentirás mal por haber mentido.
Celoso	Parecido a cuando sientes envidia, pero en este caso relacionado con tus sentimientos hacia otra persona.	Si un buen amigo comienza a pasar más tiempo con otra persona del que pasa contigo.
Culpable	Cuando has hecho algo incorrecto y sientes vergüenza.	Si tomas una magdalena de la cocina y te das cuenta de que tus padres han horneado el número exacto para sus compañeros del trabajo.
Desdichado	Cuando te sientes muy muy triste y el mundo te parece un lugar sombrío.	Si se muere la mascota que tanto amas.
Desilusionado	El sentimiento que tienes cuando realmente querías que algo ocurriera y no fue así.	Si estás deseando que te regalen una mascota por tu cumpleaños y no lo hacen.
Aterrado	Cuando sientes miedo de repente, normalmente causado por un pensamiento o algo frente a ti, no puedes pensar claramente y te resulta difícil saber qué hacer.	Si te enteras de que tu profesora está enfadada contigo y ves cómo viene hacia ti.
Enfadado	Cuando ha pasado algo que realmente te enoja te sientes tenso, aprietas los puños y los dientes.	Si alguien te empuja por la espalda sin razón alguna cuando estás haciendo cola.

Emoción	Descripción	Un ejemplo de cuándo podrías sentirla
Envidioso	Cuando alguien tiene algo que quieres y, cada vez que piensas en ello, te entristeces.	Si alguien viene a la escuela con unas zapatillas nuevas que te encantaría tener o si un amigo es muy guapo y quieres ser como él.
Estresado	Cuando algo que no te gusta permanece en tu mente y te hace sentir tenso e inquieto.	Si estás muy preocupado por algo que pasará en la escuela al día siguiente (un examen o algo que tienes miedo de no poder resolver).
Frustrado	La sensación de enfadarse porque no puedes hacer o lograr algo.	Si intentas patinar sobre hielo muchas veces pero te sigues cayendo.
Herido	Cuando alguien ha hecho algo para molestarte o te ha hecho sentir triste.	Si alguien que te gusta dice algo desagradable sobre ti a tus espaldas y tú lo descubres.
Impotente	Cuando sientes que no puedes superar una situación y no puedes hacer más por ti mismo.	Si estás tratando de hacer sentir mejor a tu amigo que está triste, pero él sigue llorando.
Inútil	Cuando sientes que no eres lo suficientemente bueno para hacer lo que se debe hacer.	Si intentas ayudar a tus padres a ordenar, pero terminas enredando más que ayudando.
Incomprendido	Cuando alguien no entiende lo que quieres decir.	Si dices algo que te parece gracioso y entretenido y tu amigo piensa que es aburrido.
Inseguro	Cuando te sientes poco firme y sin confianza en ti mismo.	Si vas a pasar algunas noches fuera de casa y no conoces a la gente con la que estarás.
Nervioso	Cuando no te sientes para nada seguro y te da un poco de miedo continuar porque no sabes si podrás hacer lo que sea que vayas a hacer.	Si intentas caminar sobre una cuerda por primera vez.
No amado	Cuando sientes que nadie te quiere o que no le importas a nadie.	Si tus padres se olvidan de tu cumpleaños (¡improbable!).
Obsesionado	Cuando no puedes dejar de pensar en algo hasta el punto en que te molesta.	Si no ganas una competición que te hubiera gustado mucho ganar y no dejas de darle vueltas en la cabeza a la derrota.
Ofendido	Cuando te enfadas con alguien porque consideras que te ha tratado mal o ha sido injusto contigo.	Si tu profesor te regaña por algo que no has hecho.

Una breve guía para ayudar a tu hijo a hablar sobre sus preocupaciones.

★ Pasa tiempo con tu hijo hablando acerca de qué son exactamente las preocupaciones y cómo podrían hacerlo sentir.

★ Valora siempre las inquietudes de tu hijo, aunque te parezcan triviales (para tu hijo, será una prueba de que te preocupas por él).

★ Explícale a tu hijo que es normal preocuparse y que la mayoría de la gente se preocupa alguna vez en su vida.

★ Ayuda a tu hijo a que se sienta cómodo cuando hable abiertamente de sus preocupaciones.

★ Tómate el tiempo necesario para hablar de cualquier preocupación que tu hijo pueda tener. Trata de no asaltarlo con soluciones. Hazle preguntas hasta que entiendas completamente la situación y ayúdalo a encontrar las suyas propias.

★ Explícale que normalmente hay soluciones prácticas que ayudan a lidiar con la mayoría de las preocupaciones, pero también pueden afrontarse mirándolas desde otra perspectiva. Por ejemplo:

   ★ Pídele que recuerde algún otro momento en el que haya estado preocupado en el pasado y que piense en cómo resolvió esa preocupación.

   ★ Pídele que se imagine como un adulto y que vea si entonces estaría preocupándose (esto puede ajustar las perspectivas).

   ★ Déjale algo de tiempo para explorar la preocupación y aliéntalo a que intente dejarla a un lado.

   ★ Pídele que imagine la preocupación y que la visualice empequeñeciéndose y, finalmente, desapareciendo.

¿Qué es la preocupación?

La preocupación puede ser...

★ Pensamientos que te rondan la cabeza acerca de algo que realmente te molesta y que causa emociones negativas.

★ Pensar en el futuro y tener miedo de que sea terrible a pesar de que es probable que todo salga bien.

★ Sentir diferentes sensaciones físicas (por ejemplo: no poder dormir, tener el pulso acelerado, sentir tensión en la barriga).